Le vide-

Job

Oxford
EDUCACIÓN

Parque Empresarial San Fernando, Edificio Atenas
28830 San Fernando de Henares (Madrid)

Oxford University Press es un departamento de la Universidad de Oxford. Como parte integrante de esta institución, apoya y promueve en todo el mundo sus objetivos de excelencia y rigor en la investigación, la erudición y la educación, mediante su actividad editorial en:

Oxford Nueva York
Auckland Bangkok Buenos Aires Chennai Ciudad de México
Ciudad del Cabo Dar es Salaam Delhi Estambul Hong Kong Karachi
Kolkata Kuala Lumpur Madrid Melbourne Mumbai Nairobi
São Paulo Shanghai Singapur Taipei Tokio Toronto
y compañía asociada en Berlín

Publicado en España por Oxford University Press España, S. A.

ISBN: 84-8104-678-7
Depósito Legal: M-9258-2002
Impreso en España por Unigraf, S. L.
Polígono Industrial Arroyomolinos, n.º 1
Avda. Cámara de la Industria, 38
28938 Móstoles (Madrid)

AUTORA
Béatrice Job

COORDINACIÓN DEL PROYECTO EDITORIAL
Fadel Akhamlich Campos

COORDINACIÓN GRÁFICA
Purificación Fernández López

DISEÑO DE CUBIERTA E INTERIORES
Pepe Freire

MAQUETACIÓN
Pepe Freire

ILUSTRACIÓN
Ángeles Peinador Arbiza

Montarly est un village tranquille. Mais ce week-end, on attend beaucoup de visiteurs parce que la municipalité a organisé un grand vide-grenier sur la place du village. Montarly va être en fête et les habitants vont participer activement. On va mettre en vente des choses très différentes : des livres, des disques, des cassettes, des postes de radio ou de télévision, des vêtements, des pièces de collection… Les vieux objets oubliés dans les greniers des maisons peuvent attirer des amateurs.

À Montarly, il y a une école primaire, mais les collégiens doivent prendre le car de ramassage scolaire pour se rendre au collège de la ville.

Le vendredi matin, les six collégiens du village attendent le car sur la place. Ils parlent du vide-grenier. Pour les jeunes, c'est l'occasion de se faire un peu d'argent de poche.

L'après-midi, Amandine, Rita et Stéphanie se retrouvent.

— Il faut participer au vide-grenier. L'an dernier, les garçons ont pris un stand et ils ont gagné beaucoup d'argent.

— Oui, je sais. Ils ont dit ça pour se rendre intéressants. Mais qu'est-ce qu'ils ont vendu, vraiment ?

— Benoît, sa collection de timbres. Aziz, sa collection de cartes de téléphone. Et Jérémie, une vieille vaisselle de son grand-père.

— Deux ou trois assiettes seulement.

— C'est ridicule ! On ne va pas imiter les garçons.

— Moi, j'ai envie de gagner un peu d'argent.

— Et qu'est-ce qu'on peut vendre ?

— Il faut réfléchir...

Benoît et Aziz examinent des jeux électroniques.

— Ce jeu est amusant, mais on a trop joué.

— Regarde ça. C'était bien ! ... Mais il n'est plus à la mode.

— Et cette vieille console ?

— Je n'aime plus jouer avec cette console. On peut demander un bon prix.

— Et les portables ?

— Ah oui ! J'ai quatre ou cinq portables dans le tiroir. Mon père et ma mère achètent les nouveaux modèles et me donnent les vieux.

— Si je demande à mes frères, je peux trouver trois ou quatre portables de plus. Et Jérémie, qu'est-ce qu'il fait ?

Jérémie est chez son grand-père.

— Pour le vide-grenier de l'an dernier, tu as pris la vaisselle de ta grand-mère. Tu as vendu deux ou trois assiettes, mais vous avez cassé le reste avec tes copains.

— N'exagère pas. Nous avons cassé un plat et la soupière. J'ai remis les assiettes et les verres dans la commode.

— Je n'ai rien à te proposer cette année. Demande à Gaston !

— S'il te plaît, papy... dit Jérémie pendant qu'il caresse Gaston, le dernier labrador de monsieur Luchon.

Monsieur Luchon adore les chiens. Il a toujours un labrador à la maison. Quand son chien meurt, il cherche un autre labrador. Tous les chiens de monsieur Luchon se sont appelés Gaston. Dans son séjour, il garde la photo de Gaston premier, puis de Gaston II, de Gaston III, de Gaston IV... C'est pratique ! Il ne se trompe jamais de nom.

Gaston VII est un jeune chien. Il aime beaucoup sortir en promenade avec son maître. Quand monsieur Luchon est fatigué, le chien continue sa promenade et il revient plus tard à la maison. Son maître comprend : un jeune chien a besoin d'exercice.

Dans le village, tout le monde connaît Gaston.
— Bonjour, Gaston !
— Ça va, Gaston ?
— Qu'est-ce que tu fais là, Gaston ? Où est ton maître ?

Les gens ne savent plus si c'est Gaston V, VI ou VII. Monsieur Luchon est le seul à savoir, à cause des photos.

Jérémie renonce à l'idée de trouver des choses à vendre chez son grand-père. Quand il dit «Demande à Gaston !», il n'y a rien à faire. C'est sa manière de terminer la discussion.

Amandine a une idée : son petit frère a grandi et il n'a plus besoin de son berceau. Maintenant, elles peuvent vendre le berceau, le landau et les vêtements du bébé.

Rita a beaucoup de frères et sœurs. Elle va demander à sa mère des jouets et des vêtements. Stéphanie est fille unique, mais elle peut trouver des vêtements dans les placards. Il y a beaucoup de choses que sa mère ne porte plus.

— Alors, c'est d'accord ?

— C'est d'accord. On va prendre un stand.

— Et on ne dit rien aux garçons.

— Top là !

Les garçons cherchent les filles partout.

— Alors, les filles, vous voulez nous aider à vendre cette année ?

— Ah non, non, non ! répondent les trois filles ensemble.

— Tant pis ! Mais venez acheter des jeux !

— Ces vieux trucs ? Non, merci !

— Laisse tomber ! dit Aziz à Benoît. Elles ne s'intéressent à rien.

— Ce week-end, elles vont s'enfermer pour se maquiller, ajoute Jérémie.

Les trois garçons rient, mais les filles se regardent et pensent à la surprise qu'elles vont provoquer.

Nous sommes le samedi 15 septembre.
Les organisateurs du vide-grenier ont marqué les séparations entre les stands. Les participants vont commencer à installer les tables pour exposer les objets de la vente. Les stands doivent être prêts pour l'arrivée des premiers visiteurs.

Amandine, Rita et Stéphanie se sont levées très tôt. La mère de Stéphanie va conduire les filles en voiture. Rita a proposé une solution pour ranger l'argent de la caisse.

— Ma mère fait le ménage chez monsieur Luchon. Elle récupère les boîtes de Canachien pour ranger des boutons.

— On peut mettre l'argent dans ces boîtes ?

— Bien sûr !

Rita a collé des papiers sur les vieilles boîtes de Canachien : 20 cents, 50 cents, 1 euro, 2 euros, billets...

— Voilà la caisse !

Jérémie et Aziz ont dormi chez Benoît et ils ont parlé toute la nuit. Avec l'argent du vide-grenier de l'an dernier, les petits boulots de l'été et l'argent de ce week-end, ils vont pouvoir s'acheter une mobylette d'occasion : un jour pour Aziz, un jour pour Benoît et un jour pour Jérémie. Ils vont épater les copains du collège !

Le matin, ils se lèvent en retard. Ils s'habillent très vite et partent en courant.

Quand ils arrivent sur la place, ils découvrent le stand des filles !

— Ça alors ! Elles ont préparé ça en cachette !

— Tu as vu la caisse ?

— Jérémie, va chercher des boîtes de Canachien chez ton grand-père. Ce n'est pas une mauvaise idée.

— Ne dis rien ! On va surprendre les filles ! On va dire que c'était mon idée !

À onze heures du matin, il y a beaucoup de visiteurs sur la place. On vend et on achète partout. Il y a aussi une buvette. On peut boire de la limonade et manger des sandwichs.

Les filles ont faim. Rita et Stéphanie vont chercher des boissons et des sandwichs.

Les deux filles reviennent sur le stand. Amandine parle avec une cliente. Elles découvrent une terrible surprise.

— Où est la caisse ?

— Oh non ! On a perdu l'argent !

— Au voleur !

Le reporter du journal local prend une photo immédiatement.

Les trois garçons sont à la buvette. Ils s'amusent. Les affaires sont bonnes !

Les filles pensent à une blague des garçons.

— Ils exagèrent ! Ils ont volé la caisse !

Le reporter tend son micro.

— Vous connaissez les voleurs ?

Les garçons retournent au stand, surpris de cette agitation. Ils vont avoir aussi une terrible surprise.

— Où est la caisse ?

— Oh non ! On a perdu l'argent !

— Ce n'est pas possible ! C'est une blague des filles !

Le reporter du journal local se précipite sur le stand des garçons et prend une photo.

Les gens ont peur. Ils serrent bien les sacs à main. Ils vérifient les porte-feuilles. Les organisateurs s'affolent.

Monsieur Luchon fait la vaisselle après son petit-déjeuner. Le samedi, sa femme de ménage ne vient pas. Il se prépare pour sa promenade et prend la laisse de Gaston. Il est curieux de voir le vide-grenier. Il va peut-être faire un tour sur la place.

— Gaston ! Gaston !

C'est étrange. Le chien ne répond pas. D'habitude il vient en courant.

Gaston est dans un coin du salon. C'est sa cachette. Il entend son maître mais il reste là, la queue entre les pattes.

— Gaston ! Tu as fait une bêtise ?

Eh oui ! Gaston a fait une grosse bêtise. Dans son panier, il y a ses boîtes de Canachien avec les pièces de monnaie et les billets !

Activités

1 Choisis le bon moyen de transport.

Pour aller au collège, les jeunes de Montarly prennent…

a) un car de touristes

b) un car de ramassage scolaire

c) un car de ligne

Les garçons veulent s'acheter…

a) une mobylette chère

b) une mobylette neuve

c) une mobylette d'occasion

2 Complète les lettres manquantes des pièces d'une vaisselle.

A ☐ ☐ I E ☐ ☐ E

S ☐ ☐ P I È ☐ E

P ☐ A ☐

T ☐ S S ☐

S ☐ L ☐ D I E R

V E ☐ ☐ E

3 Fais correspondre les objets et l'endroit pour ranger.

1. vaisselle
2. vêtements
3. petits objets
4. argent

a) caisse
b) commode
c) placard
d) tiroir

4 Chasse l'intrus.

labrador	colley	caniche	siamois	fox-terrier

5 **Complète avec les expressions suivantes :**

■ Top là ! ■ Tant pis ! ■ Laisse tomber !

a) Je ne peux pas participer au vide-grenier. ...
b) Nous sommes d'accord. ...
c) Il n'y a rien à faire. ...

6 **Réponds aux questions.**

■ Quelle est la marque des boîtes de conserve contenant la viande de Gaston ?
■ Qui prend des photos pendant le vide-grenier ?

7 **Complète les définitions avec des mots de la même famille.**

Se mettre dans un coin pour ne pas être vu = se ...
Faire quelque chose en secret, sans le dire = en ...
Endroit pour se cacher = une ...

8 **Mets les lettres dans l'ordre (trois mots) pour trouver un métier correspondant à la définition.**

Personne qui nettoie, passe l'aspirateur, fait la vaisselle pour une autre =

E	M	D	E	F	G	E	M	A	N	É	M	E

9 **Complète les phrases.**

Les filles crient : ... ... ! Les ... s'affolent. Les gens serrent bien les ... ... et vérifient les ... .

10 **Regarde la dernière image de l'histoire pour identifier :**

■ le panier du chien ■ les pattes du chien
■ la tête du chien ■ l'argent volé

Vocabulaire

amateur personne qui aime bien quelque chose, le contraire d'un professionnel

attirer faire venir, plaire

berceau lit d'un bébé

blague plaisanterie, histoire ou action pour faire rire

bouton petit objet rond pour fermer un vêtement

buvette lieu pour vendre des boissons

caisse objet pour ranger l'argent dans un magasin

caresser passer la main en signe de tendresse

épater surprendre

grenier partie d'une maison sous le toit

laisse corde, en cuir ou métallique, pour promener le chien

landau petit véhicule pour promener un bébé

maître propriétaire d'un chien

municipalité groupe de personnes responsables de l'administration d'une ville ou d'un village

portable téléphone mobile

réfléchir penser, chercher des idées

stand place réservée pour exposer, pour vendre

vide-grenier kermesse pour vendre et acheter des objets usagés